■ 연소와 소화

소화 원리	연소 4요소	소화 방법	설비별 소화 방법	각 요소	
물리적 소화	가연물	제거, 희석	-	① 비표면적↑ ② 산소와 친화력↑ ③ 열전도율↓ ④ 열축적 용이 ⑤ 활성화에너지↓ ⑥ 발열량(연소열)↑	
	산소 (조연성)	질식, 차단	포, CO_2, 불활성 기체	필요약제[%] $= \dfrac{21 - O_2[\%]}{21} \times 100$ 조연성 종류 : 공기, 오존, 불소, 염소	
	점화원	냉각	수계 소화 설비	기계적	충격·마찰, 나화, 단열 압축, 고온표면
				전기적	정전기, 유도, 유전, 저항, 아크, 낙뢰열
				화학적	용해, 분해, 연소, 자연발화열
화학적 소화	연쇄 반응	억제	할로겐, 분말	할로겐 원소 : F, Cl, Br, I	

■ 정전기 대책과 자연발화

정전기 대책	① 가습(습도 상승) ② 접 지 ③ 공기 이온화 ④ 도체 사용	
자연 발화	발생 용이 조건	① 열전도율 ↓ ② 주위 온도 ↑ ③ 비표면적 ↑ ④ 발열량(연소열) ↑ ⑤ 열축적이 용이하게 적재되어 있는 경우 ⑥ 습도 ↑
	예방 대책	발생용이 조건과 반대로
	요오드값	요오드 값 ↑ ∝ 불포화도 ↑ ∝ 산화반응 용이

■ 연소범위

인화점	점화원이 닿았을 때 발화하는 최저온도
연소점	점화원을 제거하여도 불꽃이 지속되는 최저온도
발화점	점화원 없이 스스로 발화(불이 붙는)하는 최저온도
연소범위와 위험도	① 연소범위 : 아세틸렌(2.5~81%), 수소(4~75%) ② 위험도 : 아세틸렌 > 에테르 > 수소 > ⋯
혼합가스의 연소한계	$$L_T = \dfrac{100}{\dfrac{V_1}{L_1}+\dfrac{V_2}{L_2}+ \cdot \cdot \dfrac{V_n}{L_n}}$$ $$U_T = \dfrac{100}{\dfrac{V_1}{U_1}+\dfrac{V_2}{U_2}+ \cdot \cdot \dfrac{V_n}{U_n}}$$

■ 열전달

전 도	Fourier의 전도법칙	$[W/m \cdot K]$, $[W/m \cdot ℃]$, $[W/m \cdot \deg]$
대 류	뉴턴의 냉각법칙	$[W/m^2 \cdot K]$, $[W/m^2 \cdot ℃]$
복 사	스테판볼츠만 법칙	$\dot{q}_R'' = \sigma T^4$ ※ 절대온도 적용

■ 연기의 특성

속 도	수직 2~3$[m/s]$, 수평 0.5~1$[m/s]$		
힘	① 가스 팽창 ② 부 력 ③ 피스톤효과 ④ HVAC(공조설비) ⑤ 바 람 ⑥ 굴뚝효과(건물 내외 온도차, 화재실 온도, 건축물 높이)		
종 류	① 일산화탄소(CO) - 산소공급 방해 ② 이산화탄소(CO_2) - 호흡 촉진, 최다 발생 ③ 황화수소(H_2S) - 계란 썩는 냄새 ④ 포스겐(독성↑)		
감광 계수	$0.1[m^{-1}]$	$20~30[m]$	연기감지기 동작 시의 농도
	$10[m^{-1}]$	$0.2~0.5[m]$	화재 최성기의 농도

■ 폭발과 방폭

폭 발	구 분	① 폭굉(음속↑, 1,000~3,500[m/s]) ② 폭연(음속↓, 0.1~10[m/s])
	BLEVE	액화가스(가연성 또는 인화성)가 급격히 비등 → 압력 상승으로 탱크 파괴
	방 폭	① 유입(기름) ② 압력(가스 가압) ③ 내압(폭발에 견딤) ④ 안전증(안전도↑)

■ 화재의 구분

분 류		① A급(일반-백색) ② B급(유류-황색) ③ C급(전기-청색) ④ D급(금속-회색)
소 실		① 전소(70%↑) ② 반소(30~70%) ③ 부분소(30%↓)
구조별		① 목조건축물(고온 단시간) ② 내화건축물(저온 장시간)
출 화	옥 내	천장 속, 벽 속 등에서 발염착화 시
	옥 외	창, 출입구 등에 발염착화 시

■ 건축물 화재

플래시 오버	개념	건물화재 → 가연성 가스의 일시적 인화 → 급격히 화염이 확대되는 현상
	영향 요소	① 내장재의 종류(재질) ② 화원의 크기 ③ 개구부의 크기
화재 하중		$Q\,[kg/m^2] = \dfrac{\Sigma(G_t \cdot H_t)}{H_w \cdot A} = \dfrac{\Sigma Q_t}{4{,}500 \times A}$
화재 강도		① 연소열 ② 가연물의 비표면적 ③ 공기 공급량 ④ 실의 단열성

■ 마감재료

불연재료	콘크리트·석재·벽돌·기와·철강·알루미늄·유리·시멘트 모르타르 및 회	
플라스틱	열가소성	폴리에틸렌 수지, 폴리스티렌 수지, 폴리아세틸렌 수지, 폴리염화비닐 수지(=PVC)
	열경화성	멜라민 수지, 페놀 수지, 요소 수지

■ 건축 용어

방재 계획		① 공간적(대항성, 회피성, 도피성) ② 설비적(대항성, 도피성)
무창층	정 의	유효한 개구부의 면적의 합계가 해당 층의 바닥면적의 30분의 1 이하가 되는 층
	개구부	① 지름 $50\,cm$ ↑ ② 높이 $1.2\,m$ ↓ ③ 도로, 빈터 향할 것 ④ 창살, 장애물 설치 X ⑤ 내·외부에서 쉽게 파괴될 것
지하층		바닥에서 지표면까지 평균높이가 해당 층 높이의 2분의 1 이상인 것
주요 구조부		① 내력벽 ② 기 둥 ③ 바 닥 ④ 보 ⑤ 지붕틀 ⑥ 주계단

■ 화재 저항

방화 구조	① 철망모르타르($2\,cm$ ↑) ② 석고판 위 시멘트모르타르/회반죽 바른 것($2.5\,cm$ ↑) ③ 시멘트모르타르 위에 타일 부착($2.5\,cm$ ↑) ④ 심벽에 흙으로 맞벽치기
내화 구조	① 벽(CONC : $10\,cm$, 벽돌조 : $19\,cm$) ② 비내력벽($7\,cm$) ③ 바닥($10\,cm$) ④ 기둥($25\,cm$)
방화벽	① 내화구조 ② 외벽, 지붕면으로부터 $0.5\,m$ ↑ ③ 출입문 너비·높이 $2.5\,m$ ↓ 방화문

■ 피난의 특성

패닉	① 연기에 의한 시계 제한 ② 유독가스에 의한 호흡장애 ③ 외부와의 단절, 고립
Fool Proof	저지능인 상태에서도 쉽게 식별이 가능하도록 그림이나 색채를 이용하는 원칙
Fail Safe	2가지 이상의 수단을 구성하라는 의미로, 말 그대로 실패해도 안전하도록 구성하라는 의미
피난 계획	① 양방향(2개 이상) ② 가급적 단순한 형태, 고정식 시설 ③ 통로의 말단은 안전한 장소 or 설비 ④ 수직동선과 수평동선을 모두 고려
안전 구획	① 1차(복도) ② 2차(부속실, 전실) ③ 3차(계단실)

■ 기체의 변화

보일의 법칙	기체의 온도가 일정할 때 기체의 압력과 부피는 반비례	$V \propto \dfrac{1}{P} \rightarrow$ $P_1 V_1 = P_2 V_2 = C'$
샤를의 법칙	기체의 압력이 일정할 때 기체의 온도와 부피는 비례	$V \propto T \rightarrow$ $\dfrac{V_1}{T_1} = \dfrac{V_2}{T_2} = C'$
보일-샤를의 법칙	기체의 부피는 온도에 비례하고, 압력에 반비례	$\dfrac{P_1 V_1}{T_1} = \dfrac{P_2 V_2}{T_2} = C'$

■ 기체의 기초

주요 원자량 &분자량	C(탄소) : 12, H(수소) : 1, O(산소) : 16, N(질소) : 14, 공기 : 29, CO_2(이산화탄소) : 44, CH_4(메탄) : 16
증기 비중	$$\frac{분자량}{29}$$ ∴ 29 = 공기의 분자량 Halon 2402(9.0) > 1211(5.7) > 104(5.3) > 1301(5.1)
증기 밀도	$$\frac{분자량}{22.4}[g/L]$$
LNG	① 도시가스 ② 메 탄 ③ 증기비중 : 0.5(공기보다 가벼움)
LPG	① 액화석유가스 ② 프로판, 부탄 ③ 증기비중 : 1.5(공기보다 무거움) ④ 무색, 무취

■ 유류화재

중질유 화재	보일오버	열류층 형성 → 하강 → 탱크저부에 있는 물과 접촉 → 비등 → 유류 분출
	슬롭오버	유류탱크 화재 → 표면에 주수(또는 살수) → 기름이 탱크 밖으로 비산

■ 주요 위험물의 특성

① 제1류(산화성 고체)
② 제2류(가연성 고체)
③ 제3류(자연발화성/금수성)
④ 제4류(인화성 액체)
⑤ 제5류(자기반응성)
⑥ 제6류(산화성 액체)

인화점	디에틸에테르(−45℃) < 휘발유(−43℃) < 산화프로필렌(−37℃) < 이황화탄소(−30℃)
발화점	황린(30℃) < 황화린(100℃) < 이황화탄소(102℃) < 등유(220℃)
황 린	① 제3류 위험물 ② 자연발화성(금수성 X) ③ 물속에 저장 ④ 발화점 가장 낮음 ⑤ 주수소화
탄화칼슘	① 제3류 위험물 ② 물과 반응 시 아세틸렌(C_2H_2) 발생
금수성	① 제3류 위험물 ② 늄, 륨, 슘 ③ 주수 시 수소 ④ 건조사, 팽창질석, 팽창진주암
제1류&제6류	산화성 고체, 액체이므로 대부분 명칭에 "산"이 포함
이황화탄소	① 물속에 보관 ② 주수소화하면 물이 덮어 질식(피복)소화 효과
니트로 화합물	① 자기연소 ② 질식소화(이산화탄소 설비 등) 불가능
제4류	① 질식소화 ② 주수 시 유류가 넘쳐 화재면 확대

■ 소화약제별 특성

물	① 비열↑, 잠열↑ ② 냉각소화 ③ 전기화재(전기실, 변전실 등)에 사용 불가능 ④ 비열은 $1[cal/g \cdot ℃]$ 또는 $4.18[J/g \cdot K]$ ⑤ 증발잠열은 $539[cal/g]$ 또는 $2,257[J/g]$
분말		제1종	탄산수소 나트륨	$NaHCO_3$	백색	BC
제2종	탄산수소 칼륨	$KHCO_3$	담회색	BC
제3종	제1인산 암모늄	$NH_4H_2PO_4$	담홍색	ABC
제4종	탄산수소 칼륨 + 요소	$KHCO_3 +$ $CO(NH_2)_2$	회색	BC	
이산화 탄소	① 상온, 상압에서 기체 상태 ② 임계온도는 약 31.2℃ ③ 비전도성 ④ 무색, 무취, 증기비중 : 1.5 ⑤ 평상시 액체상태로 저장
할론		Halon 1211	CF_2ClBr	기체
Halon 1301	CF_3Br	
Halon 1011	CH_2ClBr	액체
Halon 2402	$C_2F_4Br_2$		
불활성 가스	① 질식소화 효과 ② IG-541 → $N_2 : 52\%$, $Ar : 40\%$, $CO_2 : 8\%$

■ 유체 기초

물리량	$m[kg] = \rho V$ $V[m^3] = v \times m = \dfrac{m}{\rho}$ $\rho[kg/m^3] = \dfrac{m}{V} = \dfrac{1}{v}$ $\therefore \rho_w : 1,000[kg/m^3]$ $v[m^3/kg] = \dfrac{V}{m} = \dfrac{1}{\rho}$	$W[N] = mg = \rho g V = \gamma V$ $\gamma[N/m^3] = \dfrac{mg}{V} = \dfrac{\rho g \cancel{V}}{\cancel{V}} = \rho g$ $\therefore \gamma_w : 9,800[N/m^3]$ $S = \dfrac{\gamma}{\gamma_w} = \dfrac{\rho \cancel{g}}{\rho_w \cancel{g}} = \dfrac{\rho}{\rho_w}$
압력	$P[N/m^2, Pa] = \dfrac{F}{A} = \rho g h$ $\quad = \gamma h = S \times \gamma_w h$ $1[atm] = 101,325[Pa]$ $\quad = 10.332[mAq]$ $\quad = 760[mmHg]$ $\quad = 1.0332 kgf/cm^2$ $\quad = 1.013[bar]$ $\quad = 14.7[psi]$	
압축률	$\beta[Pa^{-1}] = -\dfrac{1}{V_1} \times \dfrac{V_1 - V_2}{P_1 - P_2} = -\dfrac{1}{V_1} \times \dfrac{\Delta V}{\Delta P} = \dfrac{1}{K}$	
체적 탄성 계수	$K[Pa] = -V_1 \times \dfrac{P_1 - P_2}{V_1 - V_2} = -V_1 \times \dfrac{\Delta P}{\Delta V} = -v \times \dfrac{\Delta P}{\Delta v}$ $\quad = \rho \times \dfrac{\Delta P}{\Delta \rho} = \dfrac{1}{\beta}$	
표면 장력	물 : $\sigma[N/m] = \dfrac{\Delta P \cdot d}{4} = \dfrac{(P_i - P_o)d}{4}$ 비눗방울 : $\sigma[N/m] = \dfrac{\Delta P \cdot d}{8}$	
모세관 높이	$h[m] = \dfrac{4\sigma \cos\theta}{\gamma \cdot d}$	

■ 유체의 압력과 힘

부력	$F_B[N] = \gamma_f V$	$V_{\text{잠김}}[\%] = \dfrac{S}{S_f} \times 100 = \dfrac{\rho}{\rho_f} \times 100$ $= \dfrac{\gamma}{\gamma_f} \times 100$ $V_{\text{노출}}[\%] = (1 - \dfrac{S}{S_f}) \times 100$ $= (1 - \dfrac{\rho}{\rho_f}) \times 100$ $= (1 - \dfrac{\gamma}{\gamma_f}) \times 100$
액주계	일반 액주계 : $P_A = P_{atm} + \gamma_2 h_2 - \gamma_1 h_1$ 차동 액주계 : $P_A = P_B + \gamma_u h_3 + \gamma h_2 - \gamma_u h_1$ ※ 압력이 높은 곳부터 작성	
정수력	수직력 : $F_y[N] = mg = \rho Vg = \gamma V = \gamma hA = PA$ 수평력 : $F_x[N] = PA = rh'A = r(h_1 + \dfrac{h_2}{2})A$ 합력 : $F_t[N] = \sqrt{F_x^2 + F_y^2}$	
수문 힘	도심 수직 깊이 : $h_c[m] = y_c \sin\theta$ 경사면에 작용하는 힘 : $F_g[N] = \gamma h_c A = \gamma y_c \sin\theta A$ 작용점까지 경사 길이 : $y_F[m] = y_c + \dfrac{I_M}{A \times y_c}$ 수문 개방 필요 최소 힘 : $F_o[N] = \dfrac{F_g \times y_1}{y_2}$ 〈2차 모멘트〉 원 : $I_M = \dfrac{\pi r^4}{4}$ 사각형 : $I_M = \dfrac{ab^3}{12}$ ∴ 축이 a일 경우 삼각형 : $I_M = \dfrac{ah^3}{36}$	
파스칼의 원리	$P_1 = P_2 \Rightarrow \dfrac{F_1}{A_1} = \dfrac{F_2}{A_2}$	

■ 유체 유동의 기초

연속 방정식	$\dot{m}[kg/s] = \dot{m}_1 = \dot{m}_2 = \rho_1 A_1 V_1 = \rho_2 A_2 V_2$ $\dot{Q}[m^3/s] = \dot{Q}_1 = \dot{Q}_2 = A_1 V_1 = A_2 V_2$ $\quad = \dfrac{\pi d_1^2}{4} V_1 = \dfrac{\pi d_2^2}{4} V_2$ $\dot{G}[N/s] = \dot{G}_1 = \dot{G}_2 = \gamma_1 A_1 V_1 = \gamma_2 A_2 V_2$
토리첼리 정리	손실(×) : $V[m/s] = \sqrt{2g\triangle h} = \sqrt{2gh}$ 손실(○) : $V[m/s] = \sqrt{2g(h - h_f)}$
베르누이 방정식	수두 : $\dfrac{V_1^2}{2g} + \dfrac{P_1}{\gamma} + Z_1 = \dfrac{V_2^2}{2g} + \dfrac{P_2}{\gamma} + Z_2$ 압력 : $\dfrac{\rho V_1^2}{2} + P_1 + Z_1\gamma = \dfrac{\rho V_2^2}{2} + P_2 + Z_2\gamma$
수정 베르누이 방정식	수두 : $\dfrac{V_1^2}{2g} + \dfrac{P_1}{\gamma} + Z_1 = \dfrac{V_2^2}{2g} + \dfrac{P_2}{\gamma} + Z_2 + \triangle H$ 압력 : $\dfrac{\rho V_1^2}{2} + P_1 + Z_1\gamma = \dfrac{\rho V_2^2}{2} + P_2 + Z_2\gamma + \triangle P$
방수량	① $\dot{Q} = A \times V$ ② $\dot{Q} = K\sqrt{10P}$ ③ $\dot{Q} = 2.086 \times d^2 \times \sqrt{P}$
평판에 작용하는 힘	고정 평판 : $F_R[N] = \dot{m}V = \rho\dot{Q}V = \rho A V^2$ 경사 평판 : $F_R[N] = \dot{m}V\sin\theta = \rho\dot{Q}V\sin\theta$ $\quad = \rho A V^2\sin\theta$ 이동 평판 : $F_R[N] = \dot{m}(V_1 - V_2) = \rho\dot{Q}(V_1 - V_2)$ $\quad = \rho A(V_1 - V_2)^2$ 고정 베인 : $F_x[N] = \dfrac{\gamma\dot{Q}}{g}V(\cos\alpha + \cos\beta)$ $\quad = \rho\dot{Q}V(\cos\alpha + \cos\beta)$

■ 유체와 손실

노즐반발력	$F_R[N] = F_i - F_o = P_1 A_1 - \rho \dot{Q}(V_2 - V_1)$ $F_R[N] = \dfrac{\gamma \dot{Q}^2 A_1}{2g} \left(\dfrac{A_1 - A_2}{A_1 A_2} \right)^2$
무차원수	$Fr = \dfrac{V}{\sqrt{gL}} = \dfrac{관성력}{중력}$ $We = \dfrac{\rho V^2 L}{\sigma} = \dfrac{관성력}{표면장력}$ $Ma = \dfrac{V}{c} = \dfrac{유체속도}{음속}$
레이놀즈수	$Re = \dfrac{\rho V d}{\mu} = \dfrac{V d}{\nu} = \dfrac{관성력}{점성력}$ ν : 동점성계수$[m^2/s]$, μ : 점성계수$[Pa \cdot s]$
주 손실	손실수두 : $\triangle H[m] = f \cdot \dfrac{l}{d} \cdot \dfrac{V^2}{2g}$ 압력손실 : $\triangle P[Pa] = f \cdot \dfrac{l}{d} \cdot \dfrac{\rho V^2}{2}$ 하젠포아젤 : $\triangle H = \dfrac{128 \mu l \dot{Q}}{\rho g \pi d^4}$ (층류손실)
	※ 층류에서 마찰손실계수 $f = \dfrac{64}{Re} = \dfrac{64 \times \mu}{\rho V D} = \dfrac{64 \times \nu}{V D}$
수력직경	사각관 : $D_H = \dfrac{2ab}{a+b}$ 원형 2중관 : $D_H = D - d$

■ 유체 손실과 유체기계

부차적 손실	급확대관 : $\Delta H[m] = \dfrac{(V_1 - V_2)^2}{2g} = K \cdot \dfrac{V_1^2}{2g}$ 상당길이 : $l_e = \dfrac{Kd}{f}$ 급축소관 : $\Delta H[m] = \dfrac{(V_1 - V_2)^2}{2g} = K \cdot \dfrac{V_2^2}{2g}$ 수축계수 : $C_c = \dfrac{A_c}{A_2}$, $K = \left(\dfrac{1}{C_c} - 1\right)^2$
효 율	$\eta_t = \dfrac{\text{출력}}{\text{입력}(=\text{동력})} = \eta_w \times \eta_v \times \eta_m$
동 력	수동력 : $L_w[W] = \gamma \dot{Q} H$ 공기동력 : $L_a[W] = \dot{Q} P$ 축동력 : $L_s[W] = \dfrac{\gamma \dot{Q} H}{\eta_t}$ 축동력 : $L_s[W] = \dfrac{\dot{Q} P}{\eta_t}$ 전동력 : $L[W] = \dfrac{\gamma \dot{Q} H}{\eta_t} \times k$ 전동력 : $L[W] = \dfrac{\dot{Q} P}{\eta_t} \times k$
상사 법칙	유량 : $\dfrac{\dot{Q}_2}{\dot{Q}_1} = \dfrac{N_2}{N_1} \times \left(\dfrac{D_2}{D_1}\right)^3$ 양정 : $\dfrac{H_2}{H_1} = \left(\dfrac{N_2}{N_1}\right)^2 \times \left(\dfrac{D_2}{D_1}\right)^2$ 동력 : $\dfrac{L_2}{L_1} = \left(\dfrac{N_2}{N_1}\right)^3 \times \left(\dfrac{D_2}{D_1}\right)^5$

■ 유체기계 특성과 현상

비속도	펌프	편흡입 : $N_s = \dfrac{N\sqrt{Q}}{H^{3/4}} = \dfrac{N \cdot \dot{Q}^{1/2}}{H^{3/4}}$ 양흡입 : $N_s = \dfrac{N\sqrt{Q/2}}{H^{3/4}}$ 다단 : $N_s = \dfrac{N\sqrt{Q}}{(H/n)^{3/4}}$
	송풍기	$N_s = \dfrac{N\sqrt{Q}}{H^{3/4}} = \dfrac{N\sqrt{Q}}{(P/\gamma)^{3/4}} = \dfrac{N\sqrt{Q}}{(P/\rho g)^{3/4}}$
$NPSH_{av}$	\multicolumn{2}{l	}{$NPSH_{av} = \dfrac{P_a}{\gamma} \pm H_h - H_f - \dfrac{P_v}{\gamma}$}
공동현상	\multicolumn{2}{l	}{펌프 흡입 측 배관 내의 압력이 국부적으로 포화증기압 이하로 내려가 물이 비등하는 현상}
맥동현상	\multicolumn{2}{l	}{펌프의 운전 중에 압력과 유량이 주기적으로 변동이 발생하는 현상}
수격현상	\multicolumn{2}{l	}{유체가 흐르다가 밸브의 폐쇄 또는 펌프의 정지 등으로 인해 급격한 유속변화가 발생하는 경우 유속변화에 해당하는 운동에너지가 압력에너지로 전환되며 충격파가 발생하는 현상}
직렬연결	\multicolumn{2}{l	}{유량은 그대로, 양정은 N배　　　　※ N : 펌프의 댓수}
병렬연결	\multicolumn{2}{l	}{양정은 그대로, 유량은 N배　　　　※ N : 펌프의 댓수}

■ 열역학

현열&잠열	$q_S = m \times C \times (T_2 - T_1)$ $C_w : 4.18[J/g] = 1[cal/g]$	$q_L = m \times \gamma_o$ $\gamma_{ow} : 2,257[J/g] = 539[cal/g]$
압축&팽창 후 온도	$T_2 = T_1 \times \left(\dfrac{P_2}{P_1}\right)^{\frac{k-1}{k}}$	$T_2 = T_1 \times \left(\dfrac{P_2}{P_1}\right)^{\frac{n-1}{n}}$
카르노 싸이클	$\eta_C = \dfrac{출력}{입력}$ $= \dfrac{W}{Q_H} = \dfrac{Q_H - Q_L}{Q_H}$ $= \dfrac{T_H - T_L}{T_H}$	$COP = \dfrac{출력}{입력}$ $= \dfrac{Q_L}{W} = \dfrac{Q_L}{Q_H - Q_L}$ $= \dfrac{T_L}{T_H - T_L}$
이상기체 상태 방정식	$PV = mRT = nMRT$ $= n\overline{R}T = \dfrac{m}{M}\overline{R}T$	$\rho = \dfrac{PM}{\overline{R}T}$ $P = \rho RT$ $Pv = RT$
전도	$\dot{q}_C = k \cdot A \cdot \dfrac{(T_H - T_L)}{l}$ $= k \cdot A \cdot \dfrac{\Delta T}{l}$	$\dot{q}_C'' = k \cdot \dfrac{(T_H - T_L)}{l}$ $= k \cdot \dfrac{\Delta T}{l}$
대류	$\dot{q}_V = h \cdot A \cdot (T_H - T_L)$ $= h \cdot A \cdot \Delta T$	$\dot{q}_V'' = h \cdot (T_H - T_L)$ $= h \cdot \Delta T$
복사	$\dot{q}_R = \sigma A T^4$	$\dot{q}_R'' = \sigma T^4$

■ 소방활동신호

소방 신호	발령 시기	신호 방법	
		타종 신호	싸이렌 신호
경계 신호	화재예방상 필요하거나 화재위험경보 시	1타와 연 2타 반복	5초 간격을 두고 30초씩 3회
발화 신호	화재가 발생할 때	난 타	5초 간격을 두고 5초씩 3회
해제 신호	소화활동이 필요 없다고 인정되는 때	상당한 간격을 두고 1타씩 반복	1분간 1회
훈련 신호	훈련상 필요하다고 인정되는 때	연 3타 반복	10초 간격을 두고 1분씩 3회

■ 소방대상물

소방 대상물		건축물, 차량, 선박(항구에 매어둔 선박만 해당), 선박건조구조 물, 산림, 그 밖의 인공구조물 또는 물건
관계인	정 의	① 소유자 ② 관리자 ③ 점유자
	소방 활동	① 경보, 대피 유도, 사람을 구출, 불을 끄거나 불이 번 지지 아니하도록 필요한 조치 ② 위급한 상황이 발생한 경우에는 소방본부, 소방서에 지체 없이 알릴 것
소방 대상물 조치 명령		소방관서장 → 소방대상물의 위치·구조·설비·보완될 필요· 피해가 클 것으로 예상되면 관계인에게 그 소방대상물의 개수· 이전·제거, 사용의 금지·필요한 조치를 명할 수 있음
		소방관서장 → 소방시설등, 피난시설·방화구획, 방화시설 등이 법령에 부적합 시 관계인에게 조치를 명하거나 요청할 수 있음
벌 금		조치명령을 정당한 사유 없이 위반 시 3년 이하의 징역 또는 3천 만 원 이하의 벌금

■ 소방대와 활동구역

소방대	① 소방공무원 ② 의무소방원 ③ 의용소방대원	
구역 설정	소방대장 → 소방활동구역을 정하여 구역에 출입하는 것을 제한 가능	200만 원 이하 과태료
활동 구역 출입	① 소방활동구역 안에 있는 소방대상물의 소유자·관리자 또는 점유자 ② 전기·가스·수도·통신·교통의 업무에 종사하는 사람 ③ 의사·간호사, 그 밖의 구조·구급업무에 종사하는 사람 ④ 취재인력 등 보도업무에 종사하는 사람 ⑤ 수사업무에 종사하는 사람 ⑥ 그 밖에 소방대장이 소방활동을 위하여 출입을 허가한 사람	
종사 명령	소방본부장, 소방서장 또는 소방대장 → 소방활동을 위해 필요시 → 그 관할구역에 사는 사람, 그 현장에 있는 사람에게 → 구출, 불을 끄거나 불이 번지지 아니하도록 하는 일을 하게 할 수 있음	5년 이하의 징역 or 5천만 원 이하 벌금
강제 처분	소방본부장, 소방서장 또는 소방대장 → 필요시 화재가 발생하거나 불이 번질 우려가 있는 소방대상물 및 토지를 일시적으로 사용하거나 그 사용의 제한 또는 소방활동에 필요한 처분을 할 수 있음	3년 이하의 징역 or 3천만 원 이하 벌금
	소방본부장, 소방서장 또는 소방대장 → 긴급하다고 인정할 때 → 소방대상물 또는 토지 외의 소방대상물과 토지에 대하여 강제처분 가능	300만 원 이하 벌금
	소방본부장, 소방서장 또는 소방대장 → 출동할 때 → 소방자동차의 통행과 소방활동에 방해가 되는 주차 또는 정차된 차량 및 물건 등을 제거하거나 이동시킬 수 있음	

■ 상황실 보고대상

상황실 보고대상 상황	① 사망자가 5인 이상 발생하거나 사상자가 10인 이상 발생한 화재 ② 이재민이 100인 이상 발생한 화재 ③ 재산피해액이 50억 원 이상 발생한 화재

■ 국고보조 대상

국고보조 대상	① 소방자동차 ② 소방헬리콥터 및 소방정 ③ 소방전용통신설비 및 전산설비 ④ 방화복 등 소방활동에 필요한 장비

■ 화재예방 주의사항

화재예방을 위하여 불을 사용할 때 지켜야 하는 사항			
보일러	액체 연료	① 연료 차단할 수 있는 개폐밸브는 연료탱크 $0.5m$ 이내에 설치 ② 연료탱크 ↔ 보일러 본체는 수평거리 $1m$ 이상		
	기체 연료	① 연료 차단할 수 있는 개폐밸브는 연료탱크 $0.5m$ 이내에 설치 ② 보일러가 설치된 장소에는 가스누설경보기를 설치할 것		
	본 체	① 보일러 본체 ↔ 벽·천장 사이의 거리는 $0.6m$ 이상 ② 보일러를 실내에 설치 시 콘크리트바닥 또는 금속 외의 불연재료로 된 바닥일 것		
음식 조리 설비	① 배출덕트는 $0.5mm$ 이상의 아연도금강판 또는 이와 동등 이상의 내식성 불연재료로 설치할 것 ② 열을 발생하는 조리기구는 반자 또는 선반으로부터 $0.6m$ 이상 떨어지게 할 것 ③ 열을 발생하는 조리기구로부터 $0.15m$ 이내의 거리에 있는 가연성 주요구조부는 단열성이 있는 불연재료로 덮어씌울 것 ④ 주방시설에는 동물 또는 식물의 기름을 제거할 수 있는 필터 등을 설치할 것			

■ 소방용수시설의 설치기준

공 통	① 주거·상업·공업지역 : 소방대상물과 수평거리 $100m$ 이하 ② 기타지역 : 소방대상물과 수평거리 $140m$ 이하
소화전	① 상수도와 연결+지하식 또는 지상식 구조 ② 호스와 연결하는 연결금속구의 구경 : $65mm$
급수탑	① 급수배관 구경 : $100mm$ 이상 ② 개폐밸브 위치 : 지상 $1.5m$ 이상~$1.7m$ 이하
저수조	① 지면으로부터 낙차 $4.5m$ 이하 ② 흡수부분의 수심은 $0.5m$ 이상 ③ 소방펌프자동차가 쉽게 접근 가능할 것 ④ 흡수에 지장이 없도록 토사 및 쓰레기 등을 제거할 수 있는 설비를 갖출 것 ⑤ 흡수관의 투입구 → 사각형 : 한 변 길이 $60cm$ 이상, 원형 : 지름 $60cm$ 이상 ⑥ 저수조는 상수도에 연결하여 자동으로 급수되는 구조일 것

■ 소방용수시설의 설치 및 관리

소방용수시설 등	설치·관리자
소화전, 급수탑, 저수조	시·도지사
「수도법」제45조에 따른 소화전	일반수도업자

■ 소방용수시설 및 지리조사

구 분	내 용
실시자	소방본부장 또는 소방서장
조사주기	월 1회 이상 실시
보관기간	조사결과를 2년간 보관

■ 소방안전관리자

선임 기한	관계인은 소방안전관리자를 30일 이내에 선임 (미이행 시 과태료 200만 원) ① 신축・증축・개축・재축・대수선 또는 용도변경 → 신규 선임 경우 : 사용승인일 ② 증축 또는 용도변경으로 인하여 소방안전관리대상물로 되거나 등급 변경 시 → 증축공사의 사용승인일 또는 용도변경 사실을 건축물관리대장에 기재한 날 ③ 이 외에는 해당 해임/대행/해지 등이 발생한 날 기준
신고 기한	선임한 날부터 14일 이내에 소방본부장 또는 소방서장에게 신고

■ 총괄소방안전관리자

개 념	관리의 권원이 분리 ··· 총괄소방안전관리자를 선임하도록 할 수 있음
대 상	① 복합건축물(지하층을 제외한 층수가 11층 이상 또는 연면적 3만 m^2 이상인 건축물) ② 지하가 ③ 판매시설 중 도매시장, 소매시장 및 전통시장

■ 화재예방을 위한 금지행위

개 념	화재예방강화지구, 대통령령으로 정하는 장소(제조소등) → 다음 행위 금지	
금지 행위	① 모닥불, 흡연 등 화기의 취급 ② 풍등 등 소형열기구 날리기 ③ 용접・용단 등 불꽃을 발생시키는 행위 ④ 위험물을 방치하는 행위	금지 장소에서 해당 행위 시 과태료 300만 원 이하

■ 화재예방 조치

개념	소방관서장은 화재 발생 위험이 크거나 소화활동에 지장 ··· 명령을 할 수 있음. 물건의 주인을 알 수 없는 경우 ··· 물건을 옮기거나 보관하는 등 필요한 조치	
명령	① 금지 행위 중 어느 하나에 해당하는 행위의 금지 또는 제한 ② 목재, 플라스틱 등 가연성이 큰 물건의 제거, 이격, 적재 금지 등 ③ 소방차량의 통행이나 소화활동에 지장을 줄 수 있는 물건의 이동	정당한 사유 없이 따르지 않거나 방해 시 벌금 300만 원 이하
	① 옮긴 물건 등을 보관하는 경우 그날부터 14일 동안 공고해야 함 ② 보관기간은 공고기간의 종료일 다음 날부터 7일까지	

■ 화재예방강화지구

정의	시·도지사가 화재의 예방 및 안전관리를 강화하기 위해 지정·관리하는 지역
지정 대상 지역	① 시장지역 ② 공장·창고가 밀집한 지역 ③ 목조건물이 밀집한 지역 ④ 노후·불량건축물이 밀집한 지역 ⑤ 위험물의 저장 및 처리 시설이 밀집한 지역 ⑥ 석유화학제품을 생산하는 공장이 있는 지역 ⑦ 소방시설·소방용수시설 또는 소방출동로가 없는 지역
화재안전 조사	소방관서장 → 화재안전조사를 연 1회 이상 실시
벌금	화재안전조사를 정당한 사유 없이 거부·방해 또는 기피한 자는 300만 원 이하의 벌금
훈련 및 교육	소방관서장 → 훈련 및 교육을 연 1회 이상 실시
통보	소방관서장은 훈련 및 교육을 실시하려는 경우 → 10일 전까지 그 사실을 통보

■ 화재안전조사

개념	소방관서장은 화재안전조사를 실시할 수 있음. 개인의 주거 → 관계인의 승낙	
공개 기간	소방관서장은 화재안전조사를 실시하려는 경우 → 사전에 7일 이상 공개해야 함	
비밀 유지	관계 공무원과 전문가는 관계인의 정당한 업무를 방해, 누설, 목적 외의 용도로 사용하여서는 아니 됨	1년 이하의 징역 또는 1천만 원 이하 벌금
연기 신청	① 연기 신청 → 화재안전조사 시작 3일 전까지 → 소방관서장에게 제출 ② 소방관서장은 3일 이내에 연기신청의 승인 여부를 결정	
위원회	① 과장급 직위 이상의 소방공무원 ② 소방기술사 ③ 소방시설관리사 ④ 소방 관련 분야 석사 이상 ⑤ 소방 관련 법인, 단체경력 5년 이상 ⑥ 소방 교육훈련기관, 학교, 연구소에서 5년 이상 종사한 자	

■ 특수가연물의 분류

특수가연물의 종류 및 수량	
품 명	수 량
면화류	$200[kg]$ 이상
나무껍질 및 대팻밥	$400[kg]$ 이상
넝마 및 종이부스러기	$1,000[kg]$ 이상
사 류	$1,000[kg]$ 이상
볏짚류	$1,000[kg]$ 이상
가연성 고체류	$3,000[kg]$ 이상
석탄·목탄류	$10,000[kg]$ 이상
가연성 액체류	$2[m^3]$ 이상
목재가공품 및 나무부스러기	$10[m^3]$ 이상
고무류·플라스틱류 발포시킨 것	$20[m^3]$ 이상
고무류·플라스틱류 그 밖의 것	$3,000[kg]$ 이상

■ 특수가연물의 저장 및 취급

품명별	품명별로 구분하여 쌓을 것		
적재 기준	구 분	살수설비 설치 or 방사능력 범위 내에 대형수동식 소화기 설치하는 경우	그 밖의 경우
	높 이	$15m$ 이하	$10m$ 이하
	쌓는 부분의 바닥면적	$200m^2$ 이하 (석탄·목탄류: $300m^2$)	$50m^2$ 이하 (석탄·목탄류: $200m^2$)
실외 저장	쌓는 부분 ↔ 대지경계선, 도로, 인접건축물과 $6m$ 이상 이격 → 다만, 쌓는 높이보다 $0.9m$ 이상 높은 내화구조 벽체 설치 시 이격 제외 가능		
실내 저장	① 실내 저장 시 주요구조부 → 내화구조, 불연재료일 것 ② 다른 종류의 특수가연물과 같은 공간에 보관 금지 → 내화구조의 벽으로 분리 시 가능		
이격 거리	① 실내일 경우 → 쌓는 부분 바닥면적의 사이는 $1.2m$ 또는 쌓는 높이의 1/2 중 큰 값 이상 ② 실외일 경우 → 쌓는 부분 바닥면적의 사이는 $3m$ 또는 쌓는 높이 중 큰 값 이상		
표 지	품명, 최대저장수량, 단위부피당 질량 또는 단위체적당 질량, 관리책임자 성명·직책, 연락처 및 화기취급의 금지표시를 포함		
과태료	특수가연물의 저장 및 취급 기준을 위반한 자에게는 200만 원 이하의 과태료를 부과		

■ 소방시설의 분류

소화설비	물 또는 그 밖의 소화약제를 사용하여 소화하는 기계·기구 또는 설비	
	소화기구	소화기, 간이소화용구(OO소화용구), 자동확산소화기
	자동 소화장치	(주거용, 상업용, 캐비닛형, 가스, 분말, 고체에어로졸) 자동소화장치
	옥내 소화전설비	호스릴 옥내소화전설비 포함
	스프링 클러설비등	스프링클러설비, 간이SP설비(캐비닛형 포함), 화재조기진압용 SP설비
	물분무등 소화설비	(물분무, 미분무, 포, 이산화탄소, 할론, 할로겐화합물 및 불활성기체, 분말, 강화액, 고체에어로졸) 소화설비
	옥외소화전설비	-
경보설비	화재발생 사실을 통보하는 기계·기구 또는 설비	
	단독경보형 감지기, 비상경보설비(비상벨, 자동사이렌), 자동화재탐지설비, 시각경보기, 화재알림설비, 비상방송설비, 자동화재속보설비, 통합감시시설, 누전경보기, 가스누설경보기	
피난 구조 설비	화재가 발생할 경우 피난하기 위하여 사용하는 기구 또는 설비	
	피난기구	피난사다리, 구조대, 완강기, 간이완강기, 그 밖에 화재안전기준으로 정하는 것
	인명 구조기구	방열복, 방화복(안전모, 보호장갑, 안전화), 공기호흡기, 인공소생기
	유도등	피난유도선, 피난구유도등, 통로유도등, 객석유도등, 유도표지
	비상조명등 및 휴대용비상조명등	-
소화 용수 설비	화재를 진압하는 데 필요한 물을 공급하거나 저장하는 설비	
	상수도소화용수설비, 소화수조·저수조, 그 밖의 소화용수설비	
소화 활동 설비	화재를 진압하거나 인명구조활동을 위하여 사용하는 설비	
	제연설비, 연결송수관설비, 연결살수설비, 비상콘센트설비, 무선통신보조설비, 연소방지설비	

■ 특정소방대상물

공동주택	아파트등, 연립주택, 다세대주택, 기숙사
근린 생활시설	소매점, 음식점, 기원, 의원, 치과의원, 한의원, 침술원, 접골원, 조산원, 산후조리원, 안마원
판매시설	도매시장, 소매시장, 전통시장, 상점
운수시설	여객자동차터미널, 철도 및 도시철도 시설, 공항시설, 항만시설 및 종합여객시설
의료시설	병원, 격리병원(전염병원, 마약진료소), 정신의료기관, 장애인 의료재활시설
업무시설	공공업무시설, 오피스텔
숙박시설	일반형 숙박시설, 생활형 숙박시설, 고시원(근린생활시설이 아닌 것)
위락시설	단란주점, 유흥주점, 유원시설업, 무도장 및 무도학원, 카지노영업소
항공기 및 자동차 관련 시설	항공기격납고, 차고, 주차용 건축물, 철골 조립식 주차시설, 기계장치에 의한 주차시설, 세차장, 폐차장, 자동차 검사장, 자동차 매매장, 자동차 정비공장, 운전학원·정비학원, 건축물의 내부에 설치된 주차장(단독주택 또는 50세대 미만 연립/다세대주택 주차장은 제외)

■ 소방용품

소화 설비	소화기구(간이소화용구 제외), 자동소화장치
	소화전, 관창, 소방호스, 스프링클러헤드, 기동용 수압개폐장치, 유수제어밸브, 가스관선택밸브
경보 설비	누전경보기, 가스누설경보기
	경보설비를 구성하는 발신기, 수신기, 중계기, 감지기 및 음향장치(경종만 해당)
피난 구조 설비	피난사다리, 구조대, 완강기(지지대 포함), 간이완강기(지지대 포함)
	공기호흡기(충전기 포함), 피난구유도등, 통로유도등, 객석유도등, 예비전원 내장 비상조명등
소화용	소화약제(이산화탄소 제외)
	방염제(방염액・방염도료, 방염성 물질)

■ 소방용품의 형식승인

<table>
<tr><th colspan="3">형식승인</th></tr>
<tr><td>판매,
진열,
공사 금지</td><td colspan="2">① 형식승인을 받지 아니한 것
② 형상등을 임의로 변경한 것
③ 제품검사를 받지 아니하거나 합격표시를 하지 아니한 것</td></tr>
<tr><td>변 경</td><td colspan="2">소방청장의 변경승인을 받아야 함</td></tr>
<tr><td rowspan="2">취소
또는
중지</td><td>취 소</td><td>① 거짓이나 그 밖의 부정한 방법으로 형식승인을 받은 경우
② 거짓이나 그 밖의 부정한 방법으로 제품검사를 받은 경우
③ 변경승인을 받지 아니하거나 거짓이나 그 밖의 부정한 방법으로 변경승인을 받은 경우</td></tr>
<tr><td>중 지</td><td>① 시험시설의 시설기준에 미달되는 경우
② 제품검사 시 기술기준에 미달되는 경우</td></tr>
<tr><td>벌 금</td><td colspan="2">① 형식승인을 받지 아니하고 판매, 제조, 수입하거나 부정한 방법으로 형식승인 또는 제품검사 시 3년 이하 징역 또는 3천만 원 이하의 벌금
② 제품검사 합격표시 위조 시 1년 이하 징역 또는 1천만 원 이하의 벌금
③ 형식승인의 변경승인을 받지 아니한 자는 1년 이하 징역 또는 1천만 원 이하의 벌금</td></tr>
</table>

■ 기계분야 소방시설

특정소방대상물에 설치하는 소방시설 기계분야	
소화 기구	연면적 $33m^2$ 이상인 것
스프링 클러	① 층수가 6층 이상인 특정소방대상물 ② 병원, 노유자시설, 숙박시설, 수련시설(숙박 가능)의 바닥면적의 합계가 $600m^2$ 이상 ③ 창고시설(물류터미널은 제외)로서 바닥면적 합계가 5천m^2 이상 ④ 지하가(터널 제외)로서 연면적 1천m^2 이상인 것 ⑤ 복합건축물로서 연면적 5천m^2 이상
물분무등	① 항공기격납고 ② 기계장치에 의한 주차시설을 이용하여 20대 이상의 차량을 주차할 수 있는 시설
옥외 소화전	지상 1층 및 2층의 바닥면적의 합계가 9천m^2 이상인 것
인명 구조 기구	① 지하층을 포함하는 층수가 7층 이상인 것 중 관광호텔 용도로 사용하는 층 ② 지하층을 포함하는 층수가 5층 이상인 것 중 병원 용도로 사용하는 층
제연 설비	① 문화 및 집회시설, 종교시설, 운동시설 중 무대부의 바닥면적이 $200m^2$ 이상 ② 지하층이나 무창층에 설치된 근린생활시설, 판매시설, 운수시설, 숙박시설, 위락시설, 의료시설, 노유자시설 또는 창고시설(물류터미널로 한정)로서 해당 용도로 사용되는 바닥면적의 합계가 1천m^2 이상 ③ 지하가(터널 제외)로서 연면적 1천m^2 이상인 것
연결 살수	국민주택규모 이하인 아파트등의 지하층(대피시설로 사용하는 것만 해당)과 교육연구시설 중 학교의 지하층의 경우에는 $700m^2$ 이상

■ 전기분야 소방시설

특정소방대상물에 설치하는 소방시설 전기분야	
단독 경보형 감지기	교육연구시설 또는 수련시설 내에 있는 기숙사 또는 합숙소로서 연면적 2천m^2 미만인 것
비상 경보 설비	① 지하층 또는 무창층의 바닥면적이 150m^2(공연장의 경우 100m^2) 이상 ② 지하가 중 터널로서 길이가 500m 이상인 것
자동 화재 탐지 설비	① 공동주택 중 아파트등·기숙사 및 숙박시설 ② 층수가 6층 이상인 건축물 ③ 근린생활시설(목욕장은 제외), 의료시설(정신의료기관 및 요양병원은 제외), 위락시설, 장례시설 및 복합건축물로서 연면적 600m^2 이상 ④ 근린생활시설 중 목욕장, 문화 및 집회시설, 종교시설, 판매시설, 운수시설, 운동시설, 업무시설, 공장, 창고시설, 위험물 저장 및 처리 시설, 항공기 및 자동차 관련 시설, 교정 및 군사시설 중 국방·군사시설, 방송통신시설, 발전시설, 관광 휴게시설, 지하가(터널은 제외)로서 연면적 1천m^2 이상 ⑤ 교육연구시설(합숙소 포함)로서 연면적 2천m^2 이상 ⑥ 지하가 중 터널로서 길이가 1천m 이상 ⑦ 지하구
자동 화재 속보 설비	① 노유자시설, 수련시설(숙박시설이 있는 것만 해당)로서 바닥면적이 500m^2 이상인 층이 있는 것 ② 정신병원 및 의료재활시설로 사용되는 바닥면적의 합계가 500m^2 이상인 층이 있는 것 ③ ○○병원(의료재활시설 제외), 판매시설 중 전통시장
비상 조명등	지하층을 포함하는 층수가 5층 이상인 건축물로서 연면적 3천m^2 이상

■ 소방시설의 면제

스프링 클러	① 적응성 있는 자동소화장치 또는 물분무등소화설비를 화재안전기준에 적합하게 설치한 경우 ② 전기저장시설에 소화설비를 소방청장이 정하여 고시하는 방법에 따라 설치한 경우
간이 스프링	스프링클러설비, 물분무소화설비 또는 미분무소화설비를 화재안전기준에 적합하게 설치
물분무등	차고·주차장에 스프링클러설비를 화재안전기준에 적합하게 설치한 경우
자동 화재 탐지	자동화재탐지설비의 기능(감지·수신·경보기능을 말함)과 성능을 가진 화재알림설비, 스프링클러설비 또는 물분무등소화설비를 화재안전기준에 적합하게 설치한 경우
연결 살수	송수구를 부설한 스프링클러설비, 간이스프링클러설비, 물분무소화설비 또는 미분무소화설비를 화재안전기준에 적합하게 설치한 경우

■ 수용인원

수용인원의 산정방법		
숙박시설 있는 특정소방 대상물	침대가 있는 숙박시설	종사자 수 + 침대 수(2인용 침대는 2개)를 합한 수
	침대가 없는 숙박시설	종사자 수 + 숙박시설 바닥면적 합계를 $3m^2$로 나눈 수
강의실·교무실·상담실·실습실·휴게실 용도로 쓰는 특정소방대상물		해당 용도로 사용하는 바닥면적의 합계를 $1.9m^2$로 나눈 수
강당, 문화 및 집회시설, 운동시설, 종교시설		해당 용도로 사용하는 바닥면적의 합계를 $4.6m^2$로 나눈 수 (관람석이 있는 경우 고정식 의자를 설치한 경우 의자 수, 긴 의자의 경우 의자의 정면너비를 $0.45m$로 나누어 얻은 수)
그 밖의 특정소방대상물		해당 용도로 사용하는 바닥면적의 합계를 $3m^2$로 나눈 수

■ 임시소방시설

임시소방시설 종류별 설치대상	
공 통	소방본부장 또는 소방서장의 동의를 받아야 하는 특정소방대상물의 신축·증축·개축·재축·이전·용도변경 또는 대수선 등을 위한 공사 중 화재위험작업의 현장에 설치
소화기	모든 화재위험작업의 현장
간이 소화장치	① 연면적 3천m^2 이상 ② 지하층, 무창층 또는 4층 이상의 층 → 이 경우 해당 층의 바닥면적이 $600m^2$ 이상인 경우만 해당
비상 경보장치	① 연면적 $400m^2$ 이상 ② 지하층 또는 무창층 → 이 경우 해당 층의 바닥면적이 $150m^2$ 이상인 경우만 해당
가스누설 경보기	바닥면적이 $150m^2$ 이상인 지하층 또는 무창층의 화재위험 작업현장에 설치
간이피난 유도선	
비상조명등	
방화포	용접·용단 작업이 진행되는 화재위험작업현장에 설치

■ 건축허가등의 동의

대 상	① 연면적이 $400m^2$ 이상인 건축물이나 시설 ② 지하층 또는 무창층이 있는 건축물로서 바닥면적이 $150m^2$(공연장은 $100m^2$) 이상인 층이 있는 것 ③ 차고·주차장으로 사용되는 바닥면적이 $200m^2$ 이상인 층이 있는 건축물이나 주차시설 ④ 승강기 등 기계장치에 의한 주차시설로서 자동차 20대 이상을 주차할 수 있는 시설 ⑤ 층수가 6층 이상인 건축물 ⑥ 항공기격납고, 관망탑, 항공관제탑, 방송용 송수신탑
회신 기한	소방본부장 또는 소방서장 → 접수한 날부터 5일 이내 동의 여부를 회신
	해당 특정소방 대상물은 10일 이내 회신	① 50층 이상(지하층 제외) or 지상으로부터 높이 $200m$ 이상인 아파트 ② 30층 이상(지하층 포함) or 지상으로부터 높이 $120m$ 특정소방대상물(아파트 제외) ③ 연면적 10만m^2 이상인 특정소방대상물(아파트 제외)
	건축허가등을 취소했을 때에는 취소한 날부터 7일 이내에 통보

■ 화재안전기준의 소급적용

강화기준 적용 대상	
① 기존 특정소방대상물은 기존 화재안전기준 적용 ② 단, 해당 소방시설 또는 특정소방대상물은 화재안전기준이 강화된 경우 강화된 기준을 적용할 수 있음	① 소화기구 ② 비상경보설비 ③ 자동화재탐지설비 ④ 자동화재속보설비 ⑤ 피난구조설비
	① 공동구 ② 전력 및 통신사업용 지하구 ③ 노유자시설 ④ 의료시설

■ 소방시설기준 적용 특례

증축 및 용도변경 시 소방시설기준 적용 특례			
기 준	증축 또는 용도변경 당시의 소방시설의 설치에 관한 대통령령 또는 화재안전기준을 적용		
증 축	증축 → 기존 부분을 포함한 특정소방대상물의 전체에 대하여 증축 당시 기준을 적용		
	예 외 기 준	① 내화구조로 된 바닥과 벽으로 구획된 경우 ② 자동방화셔터 또는 60분+ 방화문으로 구획되어 있는 경우 ③ 연면적 $33m^2$ 이하의 직원 휴게실을 증축하는 경우 ④ 자동차 생산공장 등 화재 위험이 낮은 특정소방대상물에 캐노피를 설치하는 경우	
용도 변경	용도변경 → 용도변경되는 부분에 대해서만 용도변경 당시 기준을 적용		
	예 외	① 특정소방대상물의 구조·설비가 화재연소 확대 요인이 적어지거나 피난 또는 화재진압활동이 쉬워지도록 변경되는 경우 ② 용도변경으로 인하여 천장·바닥·벽 등에 고정되어 있는 가연성 물질의 양이 줄어드는 경우	

■ 성능위주설계

성능위주설계 대상

① 연면적 20만m^2 이상(아파트등 제외)
② 50층 이상(지하층 제외)이거나 높이가 $200m$ 이상인 아파트등
③ 30층 이상(지하층 포함)이거나 높이가 $120m$ 이상인 특정소방대상물 (아파트등 제외)
④ 연면적 3만m^2 이상인 철도 및 도시철도 시설 또는 공항시설
⑤ 창고시설 중 연면적 10만m^2 이상 or 지하층의 층수가 2개 층 이상+지하층의 바닥 면적의 합계가 3만m^2 이상인 것
⑥ 영화상영관이 10개 이상
⑦ 지하연계 복합건축물
⑧ 터널 중 수저(水底)터널 또는 길이가 5천미터 이상

■ 소방기술심의위원회

중앙 소방기술심의위원회

① 화재안전기준에 관한 사항
② 소방시설의 구조 및 원리 등에서 공법이 특수한 설계 및 시공에 관한 사항
③ 소방시설의 설계 및 공사감리의 방법에 관한 사항
④ 소방시설공사의 하자를 판단하는 기준에 관한 사항
⑤ 신기술·신공법 등 검토·평가에 고도의 기술이 필요한 경우로서 심의를 요청한 사항
⑥ 그 밖에 소방기술 등에 관하여 대통령령으로 정하는 사항

지방 소방기술심의위원회

① 소방시설에 하자가 있는지의 판단에 관한 사항
② 그 밖에 소방기술 등에 관하여 대통령령으로 정하는 사항

■ 소방시설 점검-1

구 분	작동점검	종합점검
대상	특정소방대상물 전체 (예외 대상) ① 소방안전관리자를 선임하지 않는 특정소방대상물 ② 위험물법에 따른 제조소 등 ③ 특급 소방안전관리대상물	① 3급 이상 소방안전관리대상물 신설 ② 스프링클러 설치 ③ 물분무등소화설비(호스릴 제외)가 설치된 연면적 5,000 m^2 이상인 특정소방대상물(제조소등 제외) ④ 다중이용업의 영업장 연면적 2,000 m^2 이상 ⑤ 제연설비가 설치된 터널 ⑥ 공공기관 중 연면적 1,000 m^2 이상으로 옥내소화전설비 또는 자동화재탐지설비가 설치된 것(소방대가 근무하는 경우 제외)
점검 주기	연 1회 이상 실시	① 연 1회 이상 실시 ② 특급 소방안전관리대상물은 반기 1회 이상
점검 시기	종합점검 대상은 종합점검을 받은 달부터 6개월이 되는 달에 실시	① 최초점검 : 건축물 사용승인부터 60일 이내 ② 그 외 종합점검 : 사용승인일이 속하는 달
점검 한도 면적	10,000 m^2/인력1단위 · day + 보조인력 1명당 2,500 m^2/day	8,000 m^2/인력1단위 · day + 보조인력 1명당 2,000 m^2/day
	아파트등 점검 시 : 점검인력 1단위당 하루 250세대 + 보조 기술인력 1명당 60세대씩 추가	

■ 소방시설 점검-2

점검결과 보관기간	관계인 → 자체점검 실시결과 보고서 → 2년간 자체 보관
결과 제출	① 관계인이 직접 점검 시 : 점검이 끝난 날부터 15일 이내 → 소방본부장, 소방서장에게 보고 ② 관리업자가 점검 시 : 점검이 끝난 날부터 10일 이내 → 관계인에게 제출. 관계인은 점검종료 15일 이내 → 소방본부장, 소방서장에게 보고
점검결과 게시	① 관계인이 점검결과를 보고를 마친 날로부터 10일 이내 자체점검기록표 작성 ② 출입자가 쉽게 볼 수 있는 장소에 30일 이상 게시
자체점검 면제, 연기	자체점검 실시 만료일 3일 전 신청서 제출 ① 재난이 발생한 경우 ② 경매 등의 사유로 소유권이 변동 중이거나 변동된 경우 ③ 관계인의 질병, 사고, 장기출장의 경우 ④ 관계인이 운영하는 사업에 부도 또는 도산 등 중대한 위기가 발생하여 자체점검을 실시하기 곤란한 경우
중대위반사항	관계인은 자체점검 결과 → 중대위반사항 발견 → 지체 없 이 수리 등 필요한 조치 ① 소화펌프, 동력·감시 제어반 또는 소방시설용 전원의 고장으로 소방시설이 작동되지 않는 경우 ② 수신기의 고장으로 경보음이 울리지 않거나 수신기와 연동된 소방시설의 작동이 불가능한 경우 ③ 소화배관 등이 폐쇄·차단되어 소화수 또는 소화약제 가 자동 방출되지 않는 경우 ④ 방화문 또는 자동방화셔터가 훼손되거나 철거되어 본 래의 기능을 못 하는 경우

■ 무창층과 개구부

무창층	지상층 중 유효한 개구부의 면적의 합계가 해당 층의 바닥면적의 30분의 1 이하가 되는 층
유효한 개구부 조건	① 크기는 지름 $50cm$ 이상의 원이 통과할 수 있을 것 ② 해당 층의 바닥 면으로부터 개구부 밑부분까지의 높이가 $1.2m$ 이내일 것 ③ 도로 또는 차량이 진입할 수 있는 빈터를 향할 것 ④ 창살이나 그 밖의 장애물이 설치되지 않을 것 ⑤ 내부 또는 외부에서 쉽게 부수거나 열 수 있을 것

■ 피난층

피난층	곧바로 지상으로 갈 수 있는 출입구가 있는 층

■ 연소 우려가 있는 건축물의 구조

구조 기준	① 건축물대장의 건축물 현황도에 표시된 대지경계선 안에 둘 이상의 건축물이 있는 경우 ② 각각의 건축물이 다른 건축물의 외벽으로부터 수평거리가 1층의 경우에는 $6m$ 이하, 2층 이상의 층의 경우에는 $10m$ 이하인 경우 ③ 개구부(유효한 개구부)가 다른 건축물을 향하여 설치되어 있는 경우

■ 방화시설과 과태료

방화시설 금지 행위	
① 폐쇄하거나 훼손하는 등의 행위	
② 주위에 물건을 쌓아두거나 장애물을 설치하는 행위	
③ 용도에 장애를 주거나 소방활동에 지장을 주는 행위	
④ 그 밖에 피난시설, 방화구획 및 방화시설을 변경하는 행위	
1차 위반	100만 원
2차 위반	200만 원
3차 이상 위반	300만 원

■ 방 염

방염 대상 건축물	① 건축물 옥내에 있는 시설로 문화 및 집회시설, 종교시설, 운동시설(수영장은 제외) ② 방송통신시설 중 방송국 및 촬영소, 다중이용업의 영업소 ③ 층수가 11층 이상인 것(아파트등은 제외)

방염
대상
물품
	① 제조 또는 가공공정에서 방염처리한 다음의 물품
	  가. 창문에 설치하는 커튼류(블라인드를 포함)
	  나. 카 펫
	  다. 벽지류(두께가 $2mm$ 미만인 종이벽지는 제외)
	  라. 전시용 합판·목재 또는 섬유판, 무대용 합판·목재 또는 섬유판(합판·목재류의 경우 불가피하게 설치 현장에서 방염처리한 것을 포함)
	  마. 암막·무대막(스크린 포함)
	  바. 섬유류 또는 합성수지류 등을 원료로 하여 제작된 소파·의자(다중이용업에 설치되는 것)
	② 건축물 내부의 천장이나 벽에 부착하거나 설치하는 다음의 것. 다만, 가구류와 너비 $10cm$ 이하인 반자돌림대 등과 내부 마감재료는 제외
	  가. 종이류(두께 $2mm$ 이상인 것)·합성수지류 또는 섬유류를 주원료로 한 물품
	  나. 합판이나 목재
	  다. 공간을 구획하기 위하여 설치하는 간이 칸막이
	  라. 흡음을 위하여 설치하는 흡음재(흡음용 커튼을 포함)
	  마. 방음을 위하여 설치하는 방음재(방음용 커튼을 포함)

■ 소방시설업의 분류

분 류	① 소방시설설계업 ② 소방시설공사업 ③ 소방공사감리업 ④ 방염처리업
등 록	특정소방대상물의 소방시설공사등을 하려는 자는 대통령령으로 정하는 요건을 갖추어 시·도지사에게 소방시설업을 등록하여야 함
등록의 결격 사유	① 피성년후견인 ② 소방관련 법규를 위반하여 금고 이상의 실형을 선고받고 그 집행이 끝나거나 집행이 면제된 날부터 2년이 지나지 아니한 사람 ③ 소방관련 법규를 위반하여 금고 이상의 형의 집행유예를 선고받고 그 유예기간 중에 있는 자 ④ 등록하려는 소방시설업 등록이 취소된 날부터 2년이 지나지 아니한 자 ⑤ 법인의 대표자가 ①~④까지의 어느 하나에 해당하는 사람이 있는 법인 ⑥ 법인의 임원 중에 ②~④까지의 어느 하나에 해당하는 사람이 있는 법인
변경 신고	소방시설업자는 행정안전부령으로 정하는 중요사항을 변경할 때에는 행정안전부령으로 정하는 바에 따라 시·도지사에게 신고하여야 함 ① 상호(명칭) 또는 영업소 소재지 ② 대표자 ③ 기술인력

■ 설계업의 영업범위

일반소방시설설계업의 영업범위

① 아파트에 설치되는 기계분야 소방시설(제연설비는 제외)의 설계
② 연면적 3만m^2(공장의 경우에는 1만m^2) 미만의 특정소방대상물(제연설비가 설치되는 특정소방대상물은 제외)
③ 위험물제조소등에 설치되는 기계분야 소방시설의 설계

■ 감리 대상 구분

상주 공사감리	① 연연적 $3만m^2$ 이상 특정소방대상물(아파트 제외) ② 지하층을 포함한 층수가 16층 이상으로 500세대 이상인 아파트
일반 공사감리	상주 공사감리에 해당하지 않는 소방시설의 공사

■ 현장별 감리원 배치기준

배치기준		소방시설공사 현장 기준
책임 감리원	보 조	
소방 기술사	초급 감리원 이상	① 연연적 $20만m^2$ 이상인 특정소방대상물 ② 지하층을 포함한 층수가 40층 이상인 특정소방대상물
특급 감리원		① 연연적 $3만m^2$ 이상 $20만m^2$ 미만인 특정소방대상물(아파트 제외) ② 지하층을 포함한 층수가 16층 이상 40층 미만인 특정소방대상물
고급 감리원		① 물분무등소화설비(호스릴 방식의 소화설비는 제외) 또는 제연설비가 설치되는 특정소방대상물 ② 연연적 $3만m^2$ 이상 $20만m^2$ 미만인 아파트
중급감리원		연연적 $5천m^2$ 이상 $3만m^2$ 미만인 특정소방대상물
초급감리원		① 연연적 $5천m^2$ 미만인 특정소방대상물 ② 지하구

■ 착공신고

착공신고	공사업자는 소방시설공사를 하려면 소방본부장이나 소방서장에게 신고하여야 함(착공 전까지)
신설 공사	소화기구 및 피난구조설비를 제외한 거의 모든 소방시설공사
증설 공사	방호구역, 방수구역, 제연구역, 살수구역, 송수구역 등을 갖는 소방시설공사
개설, 이전, 정비 공사	① 수신반 ② 소화펌프 ③ 동력(감시)제어반

■ 완공검사

완공검사 현장확인 대상
① 문화 및 집회시설, 종교시설, 판매시설, 노유자시설, 수련시설, 운동시설, 숙박시설, 창고시설, 지하상가 및 다중이용업소
② 스프링클러설비등 또는 물분무등소화설비(호스릴 제외) 설비가 설치되는 특정소방대상물
③ 연면적 1만m^2 이상이거나 11층 이상인 특정소방대상물(아파트는 제외)
④ 가연성 가스를 제조·저장 또는 취급하는 시설 중 지상에 노출된 가연성 가스탱크의 저장용량 합계가 1천 톤 이상인 시설

■ 하자보수

통보 기한		3일 이내에 하자를 보수 or 하자보수계획을 관계인에게 서면으로 알려야 함
설비별 보증기간	2년	피난기구, 유도등, 유도표지, 비상경보설비, 비상조명등, 비상방송설비 및 무선통신보조설비
	3년	자동소화장치, 옥내소화전설비, 스프링클러설비, 간이스프링클러설비, 물분무등소화설비, 옥외소화전설비, 자동화재탐지설비, 상수도소화용수설비 및 소화활동설비(무선통신보조설비는 제외)

■ 위험물 분류

제1류			
산화성 고체	무기과산화물, 아염소산염류, 염소산염류, 질산염류 등, ○○염류		
제2류			
가연성 고체	-		
제3류			
자연발화성 물질 및 금수성 물질	황린(20kg), 칼륨, 나트륨, 금속의 수소화물		
제4류			
인화성 액체	특수인화물	50ℓ	-
	제1석유류	비수용성 액체	200ℓ	휘발유
		수용성 액체	400ℓ	아세톤
	알코올류	400ℓ	-
	제2석유류	비수용성 액체	1,000ℓ	등유, 경유
		수용성 액체	2,000ℓ	-
	제3석유류	비수용성 액체	2,000ℓ	-
		수용성 액체	4,000ℓ	-
	제4석유류	6,000ℓ	-
	동식물유류	10,000ℓ	-
제5류			
자기반응성 물질	유기과산화물, 아조화합물, 니트로화합물, 질산에스테르류		
제6류			
산화성 액체	-		

■ 표지와 게시판

표 지
① 표지는 한 변의 길이가 $0.3m$ 이상, 다른 한 변의 길이가 $0.6m$ 이상인 직사각형으로 할 것
② 표지의 바탕은 백색으로, 문자는 흑색으로 할 것

	게시판
게시판 1	① 게시판은 한변의 길이가 $0.3m$ 이상, 다른 한 변의 길이가 $0.6m$ 이상인 직사각형으로 할 것 ② 게시판에는 저장 또는 취급하는 위험물의 유별·품명 및 저장최대수량 또는 취급최대수량, 지정수량의 배수 및 안전관리자의 성명 또는 직명을 기재할 것 ③ 게시판의 바탕은 백색으로, 문자는 흑색으로 할 것

	위험물 분류	표시 문자	게시판 색상
게시판 2	제1류 위험물 중 알칼리금속의 과산화물과 이를 함유한 것 또는 제3류 위험물 중 금수성 물질	물기엄금	청색바탕에 백색문자
	제2류 위험물 (인화성 고체 제외)	화기주의	적색바탕에 백색문자
	제2류 위험물 중 인화성 고체, 제3류 위험물 중 자연발화성 물질, 제4류 위험물 또는 제5류 위험물	화기엄금	

■ 정전기 제거 및 피뢰설비

정전기 제거설비	① 접지에 의한 방법 ② 공기 중의 상대습도를 70% 이상으로 하는 방법 ③ 공기를 이온화하는 방법
피뢰설비	지정수량의 10배 이상의 위험물을 취급하는 제조소(제6류 위험물을 취급하는 위험물제조소를 제외)에는 피뢰침을 설치하여야 함

■ 제조소등의 허가

위험물시설의 설치 및 변경	
설치 허가	제조소등을 설치하고자 하는 자는 시·도지사의 허가를 받아야 함
변경 신고	제조소등의 ··· 지정수량의 배수를 변경하고자 하는 자는 변경하고자 하는 날의 1일 전까지 행정안전부령이 정하는 바에 따라 시·도지사에게 신고하여야 함
예 외	① 주택의 난방시설(공동주택의 중앙난방시설을 제외)을 위한 저장소 또는 취급소 ② 농예용·축산용 또는 수산용으로 필요한 난방시설 또는 건조시설을 위한 지정수량 20배 이하의 저장소
판매 취급소	점포에서 위험물을 용기에 담아 판매하기 위하여 지정수량의 40배 이하의 위험물을 취급하는 장소

■ 제조소등의 신고기한

구 분	신고기한 기준
지위 승계	행정안전부령이 정하는 바에 따라 승계한 날부터 30일 이내에 시·도지사에게 그 사실을 신고하여야 함
폐지	행정안전부령이 정하는 바에 따라 제조소등의 용도를 폐지한 날부터 14일 이내에 시·도지사에게 신고하여야 함
안전 관리자 선임 및 해임	① 선임한 날부터 14일 이내에 소방본부장 또는 소방서장에게 신고 ② 해임/퇴직 → 그날부터 30일 이내에 다시 안전관리자를 선임하여야 함

■ 제조소등의 정기점검

정기점검
① 예방규정 대상인 제조소등 ② 지하탱크저장소 ③ 이동탱크저장소 ④ 위험물을 취급하는 탱크로서 지하에 매설된 탱크가 있는 제조소・주유취급소 또는 일반취급소

■ 제조소등의 예방규정

개 념	제조소등의 관계인은 예방규정을 정하여 제조소등의 사용을 시작하기 전에 시・도지사에게 제출
예방규정 대상	① 지정수량의 10배 이상의 위험물을 취급하는 제조소 ② 지정수량의 100배 이상의 위험물을 저장하는 옥외저장소 ③ 지정수량의 150배 이상의 위험물을 저장하는 옥내저장소 ④ 지정수량의 200배 이상의 위험물을 저장하는 옥외탱크저장소 ⑤ 암반탱크저장소 ⑥ 이송취급소 ⑦ 지정수량의 10배 이상의 위험물을 취급하는 일반취급소
예 외	제4류 위험물(특수인화물을 제외)만을 지정수량의 50배 이하로 취급하는 일반취급소(제1석유류・알코올류의 취급량이 지정수량의 10배 이하인 경우에 한함)로서 해당하는 것을 제외함

■ 위험물의 임시저장

개 념	임시로 저장 또는 취급하는 장소에서의 저장 또는 취급의 기준과 임시로 저장 또는 취급하는 장소의 위치・구조 및 설비의 기준은 시・도의 조례로 정함
예외대상	① 관할소방서장의 승인 → 위험물을 90일 이내의 기간 동안 임시로 저장 또는 취급하는 경우 ② 군부대가 지정수량 이상의 위험물을 군사목적으로 임시로 저장 또는 취급하는 경우

■ 소화기구와 자동소화장치

소화 기구	간 이	① 건조사($50L$) ② 팽창질석&진주암($80L$) ③ 0.5단위 → A, B, D급
	소 형	① 층마다 ② 보행거리 $20m$ ↓ ③ 용도별 면적마다 능력단위 이상
	대 형	① A급 10단위 이상 B급 20단위 이상 ② 보행거리 $30m$ ↓
자동 소화 장치	탐지부	① LNG(천장면 $30cm$) ② LPG(바닥면 $30cm$)
	추가설치	① 보일러실 $10m^2$ ↕ (1~2개) ② 전기실 등 유사시설 → 1개/$50m^2$

■ 방수구 방수량

옥내 소화전	$130[Lpm/개]$	$0.17 \sim 0.7[MPa]$	소화전 $\dot{Q} = 2.086 \times d^2 \times \sqrt{P}$ $d : 13[mm], 19[mm]$
옥외 소화전	$350[Lpm/개]$	$0.25 \sim 0.7[MPa]$	
연결 송수관	$800[Lpm/개]$	$0.35 \sim [MPa]$	
스프링 클러	80(창고 : 160) $[Lpm/개]$	$0.1 \sim 1.2[MPa]$	
드렌처 설비	$80[Lpm/개]$	$0.1 \sim 1.2[MPa]$	

■ 가압송수장치 방수량

설비		기준	방수량	비고
옥내소화전		1개 층 최대설치개수	$N \times 130 [Lpm]$	일반 : 2개 고층 : 5개
옥외소화전		설치개수	$N \times 350 [Lpm]$	최대 2개
연결송수관		3~5개	$N \times 800 [Lpm]$	최소 3개 최대 5개
스프링클러	폐쇄형	10~30개	$N \times 80(160)[Lpm]$	기준개수 그대로 적용
	개방형	1개 방수구역 최대 설치개수	$N \times 80 [Lpm]$	
드렌처설비		1개 방수구역 최대 설치개수	$N \times 80 [Lpm]$	

■ 스프링클러 기준개수

10층 이하 (지하층 제외 층수)	공 장	특수가연물 저장·취급	30
		그 밖의 것	20
	근린생활시설, 판매시설, 운수시설, 복합건축물	판매시설·복합건축물(판매시설 포함)	30
		그 밖의 것	20
	그 밖의 것	헤드 부착 높이 $8m$ 이상	20
		헤드 부착 높이 $8m$ 미만	10
아파트	① 단, 여러 개의 동이 주차장으로 연결된 경우 30개 적용 ② 설치개수가 가장 많은 세대의 개수가 10개 이하인 경우 해당 개수 적용		10
창고 시설	설치개수가 가장 많은 방호구역의 설치개수(최대 30개)		30
11층 이상(지하층 제외 층수, 아파트 제외), 지하가, 지하역사			30

■ 수계소화설비 수원

구 분		수원 기준 (일반)	수원 기준 (창고시설)	고층의 경우
옥내소화전		$N \times 2.6 [m^3]$	$N \times 5.2 [m^3]$	× 위험도
옥외소화전		$N \times 7.0 [m^3]$		일반건축물과 동일
연결송수관		가압송수장치 유량×7.5		
스프링클러	폐쇄형	$N \times 1.6 [m^3]$	$N \times 3.2 [m^3]$ (랙창고 : $9.6 [m^3]$)	× 위험도
	개방형	$N \times 1.6 [m^3]$	해당 없음	× 위험도
드렌처설비		$N \times 1.6 [m^3]$		× 위험도

■ 물분무소화설비

소방대상물	기준면적	살수밀도	방수량	수 원
특수가연물 저장, 취급	방수구역 최대바닥면적 (최소면적 $50 [m^2]$)	10	기준면적 ×살수밀도	기준면적 ×살수밀도 ×방수시간 (20분)
절연유 봉입 변압기	바닥면적을 제외한 변압기 표면적	10		
콘베이어벨트	벨트 부분의 바닥면적	10		
케이블트레이, 케이블덕트	투영 바닥면적	12		
차고 또는 주차장	방수구역 최대바닥면적 (최소면적 $50 [m^2]$)	20		

■ 옥상수조 제외조건

옥상수조 제외조건	① 지하층만 있는 건축물 ② 고가수조를 가압송수장치로 설치한 경우 ③ 수원이 건축물의 최상층에 설치된 방수구(또는 헤드)보다 높은 위치에 설치된 경우 ④ 건축물의 높이가 지표면으로부터 $10m$ 이하인 경우 ⑤ 주펌프와 동등 이상의 성능이 있는 별도의 펌프로서 내연기관의 기동과 연동하여 작동되거나 비상전원을 연결하여 설치한 경우 ⑥ 가압수조를 가압송수장치로 설치한 경우

■ 펌프 주위 구성

펌프 주위 구성	① 유량계의 범위는 175% 이상 ② 압력챔버를 사용할 경우 그 용적은 $100[L]$ 이상 ③ 연결배관은 체크밸브 이후에 연결 ④ 물올림 수조의 유효수량은 $100[L]$ 이상

■ 소화설비의 배관 규정

배관 유속	옥내 소화전	주배관 (수직배관)	$4[m/s]$ 이하	① $50mm$ (연결송수관 겸용 시 $100mm$) 이상 ② 호스릴의 경우 $32mm$
		가지배관 (방수구 연결배관)	–	① $40mm$ (연결송수관 겸용 시 $65mm$) 이상 ② 호스릴의 경우 $25mm$
	스프링 클러	가지배관	$6[m/s]$ 이하	–
		기타 배관 — 교차배관	$10[m/s]$ 이하	$40mm$ 이상 (청소구 동일)
		기타 배관 — 주배관		–
		수직배수관	–	$50mm$ 이상
배관 기울기	습식, 부압식		수평주행배관, 가지배관 모두 수평으로 설치	
	스프링 클러	기타 방식 — 수평주행배관	헤드를 향하여 상향으로 500분의 1 이상	
		기타 방식 — 가지배관	헤드를 향하여 상향으로 250분의 1 이상	
송액관	포소화설비의 송액관 → 배관 안 잔여액 배출을 위해 → 낮은 부분에 배액밸브 설치			

■ 방수구의 설치기준

옥내 소화전	40mm 이상 (호스릴 25mm)	바닥으로부터 1.5m 이하	특정소방대상물의 각 부분~방수구 수평거리 25m 이하
옥외 소화전	65mm 이상	지면으로부터 0.5~1m	특정소방대상물의 각 부분~호스접결구 수평거리 40m 이하
연결 송수관	65mm 이상	바닥으로부터 0.5~1m	① 계단 5m 이내 ② 1,000m^2 이상 : 2개의 계단 설치 ③ 지하가(터널 제외), 지하층 면적 합계 3,000m^2 이상 : 25m ④ 그 외 수평거리 50m ⑤ 11층 이상에는 쌍구형 설치

※ 쌍구형 → 단구형 : 아파트 용도로 사용되는 층, SP + 방수구 2개소 이상 설치된 층

■ 소화전의 설치기준

옥내 소화전함		① 두께 1.5mm ↑ (합성수지재료 4mm ↑) ② 위치표시등 + 기동표시등 설치
옥외 소화전함	소화전 5m 이내 설치	① 소화전 10개 이하 : 소화전마다 소화전함 설치 ② 소화전 11~30개 : 11개 이상 소화전함 분산 설치 ③ 소화전 31개 이상 : 소화전 3개마다 1개 이상 소화전함 설치
방수 기구함		① 피난층을 기준 3개 층마다 ② 방수구 보행거리 5m 이내 ③ 15m의 호스, 방사형 관창을 비치(쌍구형의 경우 2배 이상)

■ 송수구의 설치기준

송수구	① 지면으로부터 $0.5 \sim 1m$ 이하 ② 건식 : 송수구 → 자동배수밸브 → 체크밸브 → 자동배수밸브 ③ 연결송수관 설비 → 높이가 $31m$ 이상 또는 지상 11층 이상인 경우 습식설비

■ 스프링클러 헤드 수평거리 기준

수평 거리 기준	무대부, 특수가연물 저장·취급 장소(창고) 등	수평거리 $1.7m$ 이하 (무대부 - 개방형 설치)
	기타 소방대상물 (일반창고 포함)	수평거리 $2.1m$ 이하 (내화구조 - $2.3m$ 이하)
	아파트 등	수평거리 $2.6m$ 이하, 창문 $0.6m$ 이내 추가 배치
	랙식 창고	랙 높이 $3m$ 이하마다 설치할 것 ($15cm$ 이상의 송기공간이 있는 경우 송기공간에 설치 O)
	폭이 $9m$ 이하인 실내	측벽형 헤드 적용 가능
	연소할 우려가 있는 개구부	개구부 상하좌우에 $2.5m$ 간격, 내측면 직선거리는 $15cm$ 이하 (개방형 설치)
기타 기준	① 살수 방해 방지 : 반경 $60cm \uparrow$, 벽과는 $10cm \uparrow$ ② 배관, 행거, 조명기구 등 살수 방해 시 → 그 아래에 설치(또는 장애물 폭 3배 이상)	
헤드 상호 간 거리	$2R\cos\theta \Rightarrow 2R\cos 45°$	∴ 정방형(정사각형) 배치이므로 $45°$ 적용 ∴ R : 헤드의 수평거리$[m]$

■ 스프링클러의 감열 특성

RTI	50 이하	조기반응형 (Fast Response Type)
	50 초과~ 80 이하	특수형 (Special Response Type)
	80 초과~ 350 이하	표준형 (Standard Response Type)
	① 공동주택·노유자시설의 거실 ② 오피스텔·숙박시설의 침실 ③ 병원·의원의 입원실	
표시 온도	39℃ 미만	79℃ 미만
	39~64℃ 미만	79~121℃ 미만
	64~106℃ 미만	121~162℃ 미만
	106℃ 이상	162℃ 이상
	높이가 $4m$ 이상인 창고(랙식 창고를 포함)에 설치하는 폐쇄형 스프링클러 헤드는 그 설치장소의 평상시 최고 주위온도에 관계없이 표시온도 121℃ 이상의 것으로 할 수 있음	

■ 스프링클러의 구성품

유수검지장치	본체 내의 유수현상을 자동적으로 검지하여 신호 또는 경보 (방호구역 $3,000m^2$ 이하)
일제개방밸브	화재 시 기계적 또는 전기적 원리에 따라 클래퍼를 개방하는 장치(헤드 50개 이하)
리타딩챔버	누수로 인한 유수검지장치의 오작동을 방지하기 위해 설치
엑셀레이터	건식스프링클러 설비의 압축공기 배출속도를 증가시키기 위해 설치
시험장치 (배관)	① 유수검지장치 2차 측 배관에 연결 ② 유수검지장치의 정상작동 여부를 점검 ③ 습식, 건식, 부압식 스프링클러에만 설치

■ 연결살수설비

대 상	① 판매시설, 운수시설, 창고시설 중 물류터미널 면적 $1,000m^2$ ↑ ② 가스시설 탱크 용량이 30톤 ↑
수평거리	① 살수전용헤드 : $3.7m$ ↓ ② SP헤드 : $2.3m$ ↓
송수구역	① 하나의 송수구역에 설치하는 살수헤드의 수는 10개 이하 ② 송수구는 헤드 10개 이하 시 단구형 가능
가연성 가스시설	① 살수설비 전용 개방형 헤드 설치 ② 헤드 상호 간의 거리는 $3.7m$ ↓ ③ 헤드의 살수범위는 몸체의 중간 윗부분의 모든 부분이 포함되도록 ④ 송수구는 방호대상물로부터 $20m$ 이상

■ 연소방지설비

헤 드	① 전용헤드 : 수평거리 $2m$ ↓ ② 개방형 SP헤드 : $1.5m$ ↓ ③ 한쪽 방향의 살수구역의 길이 : $3m$ ↑ ④ $700m$ 이내마다 살수구역
연소방지재	케이블·전선 등에는 연소방지재 설치

■ 고발포 고정포방출구

자동폐쇄장치	개구부에 자동폐쇄장치 설치
관포체적	방호대상물의 높이보다 $0.5m$ 높은 위치까지의 체적
수 량	바닥면적 $500m^2$마다 1개 이상
위 치	방호대상물의 최고부분보다 높은 위치에 설치

■ 포혼합장치

라 인	벤추리관의 벤추리작용에 따라 혼합
프레셔	펌프 가압수의 포 소화약제 저장탱크에 대한 압력에 따라 혼합
프레져사이드	펌프의 토출관에 압입기를 설치하여 포 소화약제 압입용 펌프로 혼합
펌 프	펌프의 토출관과 흡입관 사이의 배관 도중에 설치한 흡입기, 농도조정밸브로 혼합

■ 물분무설비 중 배수설비

물분무 배수	① $10cm$ 이상의 경계턱으로 배수구를 설치할 것 ② 길이 $40m$ 이하마다 집수관·소화피트 등 기름분리장치를 설치할 것 ③ 바닥은 배수구를 향하여 100분의 2 이상의 기울기를 유지할 것 ④ 배수설비는 가압송수장치의 최대송수능력의 수량을 유효하게 배수 가능한 크기 및 기울기로 할 것

■ 물분무설비와 전기기기

전기기기와 이격거리 $[kV]$	66 이하	$70cm$ 이상
	66 초과~77 이하	$80cm$ 이상
	77 초과~110 이하	$110cm$ 이상
	110 초과~154 이하	$150cm$ 이상
	154 초과~181 이하	$180cm$ 이상
	181 초과~220 이하	$210cm$ 이상
	220 초과~275 이하	$260cm$ 이상
설치제외	① 물과 반응하는 물질을 저장 또는 취급 장소 ② 끓어 넘치는 물질을 저장 또는 취급하는 장소 ③ 운전 시 표면의 온도가 260℃ 이상인 기계장치	

■ 상수도 소화전

대 상	① 연면적 5천m^2 이상 ② 가스시설로서 탱크의 저장용량의 합계가 100톤 이상
설치기준	① 수도배관 : $75mm$ ↑ ② 소화전 : $100mm$ ↑ ③ 수평투영면 $140m$ ↓ ④ 호스접결구 : $0.5~1m$ 높이

■ 소화수조

채수구	① 소방차 $2m$ 이내까지 접근 가능, 높이 $0.5~1m$ ② 소요수량 $40m^3$ ↓(1개), 소요수량 $40~100m^3$ ↓(2개), 소요수량 $100m^3$ ↑(3개)
흡수관 투입구	소요수량이 $80m^3$ 미만인 것은 1개 이상, $80m^3$ 이상인 것은 2개 이상
소화 수조	① 기준면적으로 나누어 얻은 수에 $20m^3$을 곱한 양 ② 1~2층 바닥면적 합계 $15,000m^2$ ↑ : $7,500m^2$, 그 외 $12,500m^2$ 기준
제외 조건	유수의 양이 $0.8m^3/min$ 이상인 유수 사용 가능 시 수조 제외 가능
가압 송수 장치	① 지표면~수조바닥 $4.5m$ 이상 설치 ② 채수구 압력 $0.15MPa$ 이상 ③ 소요수량 $40m^3$ ↓(1,100L), 소요수량 $40~100m^3$ ↓(2,200L), 소요수량 $100m^3$ ↑(3,300L)

■ 이산화탄소 심부화재 약제량

CO_2 심부 화재 약제량	유입기기를 제외한 전기설비, 케이블실	$1.3[kg/m^3]$	자동폐쇄장치 미설치 시 $10[kg/m^2]$ 가산
	체적 $55m^3$ 미만의 전기설비	$1.6[kg/m^3]$	
	서고, 전자제품창고, 목재가공품창고, 박물관	$2.0[kg/m^3]$	
	고무류, 면화류창고, 모피창고, 석탄창고, 집진설비	$2.7[kg/m^3]$	

■ 할론 1301 약제량

할론 1301 약제량	면화류·나무껍질 및 대팻밥·넝마 및 종이부스러기·사류·볏짚류·목재가공품 및 나무부스러기를 저장·취급하는 것	$0.52\sim0.64$ $[kg/m^3]$	$3.9[kg/m^2]$
	그 외	$0.32\sim0.64$ $[kg/m^3]$	$2.4[kg/m^2]$

■ 분말소화설비 약제량

분말 약제량	① 제1종$(0.60[kg/m^3] + 4.5[kg/m^2])$ ② 제2, 3종$(0.36[kg/m^3] + 2.7[kg/m^2])$ ③ 제4종$(0.24[kg/m^3] + 1.8[kg/m^2])$

■ 분말소화설비의 가압용 및 축압용 가스

가압용 가스	질소가스	소화약제 $1kg$ 마다 $40L$ 이상
	이산화탄소	소화약제 $1kg$ 에 대하여 $20g$ 에 배관의 청소에 필요한 양을 가산한 양 이상
축압용 가스	질소가스	소화약제 $1kg$ 에 대하여 $10L$ 이상
	이산화탄소	소화약제 $1kg$ 에 대하여 $20g$ 에 배관의 청소에 필요한 양을 가산한 양 이상

■ 호스릴소화설비

	수평거리	호스접결구까지의 수평거리는 할론 $20m$, CO_2, 분말 $15m$ 이하
가스계 호스릴	약제량	① 할론 2402, 1211($50kg$) ② 할론 1301($45kg$) ③ CO_2($90kg$) ④ 제1종($50kg$) ⑤ 제2종, 제3종($30kg$) ⑥ 제4종($20kg$)
	방출량	① 할론 2402($45kg/min$) ② 할론 1211($40kg/min$) ③ 할론 1301($35kg/min$) ④ CO_2($60kg/min$) ⑤ 제1종($45kg/min$) ⑥ 제2, 3종($27kg/min$) ⑦ 제4종($18kg/min$)

■ 가스소화설비의 저장용기

① 방호구역 외
② 직사광선 및 빗물이 침투할 우려 ×
③ 방화문으로 방화구획된 실
④ $3cm$ 이상의 간격을 유지할 것
⑤ 저장용기와 집합관을 연결하는 연결배관에는 체크밸브 설치
⑥ 온도 40℃(할로겐/불활성 55℃) 이하 장소

충전비	① 이산화탄소 → 저압 : 1.1~1.4, 고압 : 1.5~1.9 ② 분말 → 0.8 이상 ③ 할론 1211 → 0.7~1.4 ④ 할론 1301 → 0.9~1.6
내용적	① 제1종 → $0.8[L/kg]$ ② 제2, 3종 → $1.0[L/kg]$ ③ 제4종 분말 → $1.25[L/kg]$

■ 제연구역의 기준

제연구역	① $1,000m^2$ 이내 ② 통로 $60m$ 이하 ③ 직경 $60m$ 이내 ④ 둘 이상의 층 × ⑤ 거실 통로 각각 제연구획

■ 거실제연설비의 풍량

제연풍량	① $400m^2$↑ + $40m$ 초과 + 수직거리 $2m$ 이하 → $45,000$ $[m^3/h]$ 이상 ② 바닥면적 $1m^2$당 $1m^3/min$ 이상, 최소 배출량은 $5,000$ $[m^3/hr]$ 이상

■ 거실제연설비의 풍도

배출풍도	① 흡입 측 풍속 : $15m/s$ ↓ ② 배출 측 풍속 : $20m/s$ ↓
유입풍도	풍속 $20m/s$ ↓

■ 거실제연설비의 배출구

배출구	① 수평거리는 $10m$ ↓ ② 공기유입구와 배출구간의 직선거리는 $5m$ 이상 ③ 천장 또는 반자와 바닥 사이의 중간 윗부분에 설치

■ 거실제연설비의 제연방식

제연방식	① 제1종(강제급기+ 강제배기) ② 제2종(강제급기+ 자연배기) ③ 제3종(자연급기+ 강제배기)

■ 거실제연설비 기동

포함사항	① 해당 제연구역의 구획을 위한 제연경계벽 및 벽의 작동 ② 해당 제연구역의 공기유입 및 연기배출 관련 댐퍼의 작동 ③ 공기유입송풍기 및 배출송풍기의 작동

■ 부속실 제연설비의 기준

차 압	① 최소차압 : $40Pa$ ↑ (SP : $12.5Pa$) ② 출입문 개방력 : $110N$ ↓ ③ 비개방 층의 차압 : 기준의 70% ↑ ④ 부속실과 계단실 압력차 : $5Pa$ ↓

■ 부속실 제연설비 TAB

TAB	① 출입문 등의 크기와 열리는 방향 ② 제연설비가 작동하고 있지 아니한 상태에서 그 폐쇄력 ③ 층별로 화재감지기(수동기동장치를 포함)를 동작시켜 제연설비가 작동하는지 여부 ④ 방연풍속, 차압 및 출입문의 개방력과 자동닫힘 등의 적합 여부